RECETAS INDIAS FÁCILES 2021

DELICIOSAS RECETAS PARA SORPRENDER A TU FAMILIA Y AMIGOS

CORINNA MUGURUZA

Tabla de contenido

Rosachi de gambas al curry 12

    Ingredientes...12

    Método 13

Pescado Relleno de Dátiles y Almendras..14

    Ingredientes...14

    Método 14

Pez Tandoori 16

    Ingredientes...16

    Método 16

Pescado con Verduras 17

    Ingredientes...17

    Método 18

Tandoor Gulnar..20

    Ingredientes...20

    Para la primera marinada: 20

    Para la segunda marinada: 20

Langostinos en Masala Verde..21

    Ingredientes...21

    Método 22

Chuleta de pescado 23

    Ingredientes...23

    Método 24

Parsi Fish Sas..25

Ingredientes 25

Método 26

Peshawari Machhi 27

Ingredientes 27

Método 27

Cangrejo al curry 29

Ingredientes 29

Método 30

Pescado Mostaza 31

Ingredientes 31

Método 31

Meen Vattichathu 32

Ingredientes 32

Método 33

Doi Maach 34

Ingredientes 34

Para el adobo: 34

Método 35

Pescado frito 36

Ingredientes 36

Método 36

Machher Chop 37

Ingredientes 37

Método 37

Pez espada de goa 39

Ingredientes 39

Método 40

Pescado seco Masala...41

    Ingredientes..41

    Método 41

Curry de gambas madras...42

    Ingredientes..42

    Método 42

Pescado en Fenogreco...43

    Ingredientes..43

    Método 44

Karimeen Porichathu 45

    Ingredientes..45

    Método 46

Langostinos gigantes 47

    Ingredientes..47

    Método 48

Pescado en vinagre..49

    Ingredientes..49

    Método 49

Bola de pescado al curry..51

    Ingredientes..51

    Método 52

Pescado Amritsari...53

    Ingredientes..53

    Método 53

Langostinos Fritos Masala 54

    Ingredientes..54

    Método 55

Pescado salado cubierto 56

    Ingredientes 56

    Método 57

Pasanda de gambas.. 58

    Ingredientes 58

    Método 59

Pez espada Rechaido... 60

    Ingredientes 60

    Método 61

Teekha Jhinga... 62

    Ingredientes 62

    Método 63

Langostinos Balchow.. 64

    Ingredientes 64

    Método 64

Langostinos Bhujna 66

    Ingredientes 66

    Método 67

Chingdi Macher Malai 68

    Ingredientes 68

    Método 69

Pescado Sorse Bata 70

    Ingredientes 70

    Método 70

Estofado de pescado 71

    Ingredientes 71

    Método 72

Jhinga Nissa 73

    Ingredientes...73

    Método 74

Calamar Vindaloo 75

    Ingredientes...75

    Método 76

Langosta Balchow 77

    Ingredientes...77

    Método 78

Langostinos con Berenjena...79

    Ingredientes...79

    Método 80

Gambas Verdes..81

    Ingredientes...81

    Método 81

Pescado con Cilantro 82

    Ingredientes...82

    Método 82

Pescado Malai...83

    Ingredientes...83

    Para la mezcla de especias: 83

    Método 84

Curry de pescado Konkani 85

    Ingredientes...85

    Método 85

Langostinos picantes al ajillo 86

    Ingredientes...86

Método 87

Curry de pescado simple 88

Ingredientes 88

Método 88

Curry de pescado de Goa 89

Ingredientes 89

Método 90

Vindaloo de gambas 91

Para 4 personas 91

Ingredientes 91

Método 92

Pescado en Masala Verde 93

Ingredientes 93

Método 94

Almejas Masala 95

Ingredientes 95

Método 96

Pez tikka 97

Ingredientes 97

Método 98

Berenjena Rellena De Gambas 99

Ingredientes 99

Método 100

Langostinos con Ajo y Canela 101

Ingredientes 101

Método 101

Lenguado al vapor en mostaza 102

Ingredientes 102

Método 102

Curry de pescado amarillo 103

Ingredientes 103

Método 103

Cangrejo tandoori 105

Ingredientes 105

Método 105

Pescado Relleno 106

Ingredientes 106

Método 107

Curry de gambas y coliflor 108

Ingredientes 108

Para la mezcla de especias: 108

Método 109

Almejas Salteadas 110

Ingredientes 110

Método 111

Camarones rebozados fritos 112

Ingredientes 112

Método 113

Introducción

La comida india varía enormemente. Sea cual sea el tipo de comida que le pueda interesar (carne, pescado o vegetariana), encontrará una receta que se adapte a su paladar y estado de ánimo. Si bien el curry se asocia inevitablemente con la India, este término se usa simplemente para carnes o verduras cocidas en una salsa picante, generalmente se come con arroz o panes indios. Como le mostrará esta colección de mil recetas indias, la comida india no se limita a los favoritos de los restaurantes familiares.

La comida se toma muy en serio en la India y la cocina se considera un arte. Cada estado indio tiene sus propias tradiciones, cultura, estilo de vida y comida. Incluso los hogares individuales pueden tener sus propias recetas secretas para los polvos y pastas que forman la columna vertebral del plato. Sin embargo, lo que todos los platos indios tienen en común es la delicada alquimia de las especias que les da su característico sabor.

Las recetas del libro son auténticas, como las que podría encontrar en un hogar indio, pero son sencillas, así que si es la primera vez que va a cocinar comida india, relájese. Todo lo que necesita hacer es pasar las páginas, elegir lo que le guste y crear una comida deliciosa, ¡al estilo indio!

Rosachi de gambas al curry

(Langostinos cocidos con Coco)

Para 4 personas

Ingredientes

200 g / 7 oz de coco fresco rallado

5 chiles rojos

1½ cucharadita de semillas de cilantro

1½ cucharadita de semillas de amapola

1 cucharadita de semillas de comino

½ cucharadita de cúrcuma

6 dientes de ajo

120ml / 4fl oz de aceite vegetal refinado

2 cebollas grandes, finamente picadas

2 tomates, finamente picados

250g / 9oz de langostinos, pelados y desvenados

Sal al gusto

Método

- Muele el coco, los chiles rojos, el cilantro, las semillas de amapola, las semillas de comino, la cúrcuma y el ajo con suficiente agua para formar una pasta suave. Dejar de lado.

- Calentar el aceite en una cacerola. Freír las cebollas a fuego lento hasta que se doren.

- Agregue la pasta de chiles rojos de coco molidos, los tomates, las gambas y la sal. Mezclar bien. Cocine por 15 minutos, revolviendo ocasionalmente. Servir caliente.

Pescado Relleno de Dátiles y Almendras

Para 4 personas

Ingredientes

4 truchas, 250g / 9oz cada una, cortadas verticalmente

½ cucharadita de chile en polvo

1 cucharadita de pasta de jengibre

250g / 9oz de dátiles frescos sin semillas, blanqueados y finamente picados

75 g / 2½ oz de almendras, blanqueadas y finamente picadas

2-3 cucharadas de arroz al vapor (ver aquí)

1 cucharadita de azucar

¼ de cucharadita de canela molida

½ cucharadita de pimienta negra molida

Sal al gusto

1 cebolla grande, finamente rebanada

Método

- Marine el pescado con la guindilla en polvo y la pasta de jengibre durante 1 hora.

- Mezcle los dátiles, las almendras, el arroz, el azúcar, la canela, la pimienta y la sal. Amasar para formar una masa suave. Dejar de lado.

- Introducir la masa de dátiles y almendras en las ranuras del pescado marinado. Coloque el pescado relleno en una hoja de papel de aluminio y espolvoree la cebolla por encima.

- Envuelva el pescado y la cebolla dentro del papel de aluminio y selle los bordes firmemente.

- Hornee en un horno a 200 ° C (400 ° F, Gas Mark 6) durante 15-20 minutos. Desenvuelve el papel aluminio y hornea el pescado durante 5 minutos más. Servir caliente.

Pez Tandoori

Para 4 personas

Ingredientes

1 cucharadita de pasta de jengibre

1 cucharadita de pasta de ajo

½ cucharadita de garam masala

1 cucharadita de chile en polvo

1 cucharada de jugo de limón

Sal al gusto

500g / 1lb 2oz filetes de cola de rape

1 cucharada de chaat masala*

Método

- Mezcle la pasta de jengibre, la pasta de ajo, el garam masala, el chile en polvo, el jugo de limón y la sal.

- Haz incisiones en el pescado. Marine con la mezcla de jengibre y ajo durante 2 horas.

- Asa el pescado durante 15 minutos. Espolvorea con el chaat masala. Servir caliente.

Pescado con Verduras

Ingredientes

750g / 1lb 10 oz filetes de salmón, sin piel

½ cucharadita de cúrcuma

Sal al gusto

2 cucharadas de aceite de mostaza

¼ de cucharadita de semillas de mostaza

¼ de cucharadita de semillas de hinojo

¼ de cucharadita de semillas de cebolla

¼ de cucharadita de semillas de fenogreco

¼ de cucharadita de semillas de comino

2 hojas de laurel

2 chiles rojos secos, cortados por la mitad

1 cebolla grande, finamente rebanada

2 chiles verdes grandes, cortados a lo largo

½ cucharadita de azúcar

125 g / 4½ oz de guisantes enlatados

1 papa grande, picada en tiras

2-3 berenjenas pequeñas, en juliana

250ml / 8fl oz de agua

Método

- Marine el pescado con la cúrcuma y la sal durante 30 minutos.

- Calentar el aceite en una cacerola. Agrega el pescado marinado y sofríe a fuego medio durante 4-5 minutos, volteando de vez en cuando. Escurrir y reservar.

- Al mismo aceite, agregue las semillas de mostaza, hinojo, cebolla, fenogreco y comino. Déjelos chisporrotear durante 15 segundos.

- Agrega las hojas de laurel y los chiles rojos. Freír durante 30 segundos.

- Agrega la cebolla y los chiles verdes. Freír a fuego medio hasta que la cebolla se dore.

- Agrega el azúcar, los guisantes, la patata y las berenjenas. Mezclar bien. Sofreír la mezcla durante 7-8 minutos.

- Agrega el pescado frito y el agua. Mezclar bien. Cubra con una tapa y cocine a fuego lento durante 12-15 minutos, revolviendo ocasionalmente.

- Servir caliente.

Tandoor Gulnar

(Trucha cocida en Tandoor)

Para 4 personas

Ingredientes

4 truchas, 250g / 9oz cada una

Mantequilla para rociar

Para la primera marinada:

120ml / 4fl oz de vinagre de malta

2 cucharadas de jugo de limón

2 cucharaditas de pasta de ajo

½ cucharadita de chile en polvo

Sal al gusto

Para la segunda marinada:

400 g de yogur

1 huevo

1 cucharadita de pasta de ajo

2 cucharaditas de pasta de jengibre

120ml / 4fl oz de nata fresca

180g / 6½ oz de besan*

Langostinos en Masala Verde

Para 4 personas

Ingredientes

Jengibre de raíz de 1 cm / ½ pulgada

8 dientes de ajo

3 chiles verdes, cortados a lo largo

50g / 1¾oz de hojas de cilantro, picadas

1½ cucharada de aceite vegetal refinado

2 cebollas grandes, finamente picadas

2 tomates, finamente picados

500 g / 1 lb 2 oz de langostinos grandes, sin cáscara y desvenados

1 cucharadita de pasta de tamarindo

Sal al gusto

½ cucharadita de cúrcuma

Método

- Muele el jengibre, el ajo, las guindillas y las hojas de cilantro. Dejar de lado.
- Calentar el aceite en una cacerola. Freír las cebollas a fuego lento hasta que se doren.
- Agrega la pasta de jengibre y ajo y los tomates. Freír durante 4-5 minutos.
- Agrega las gambas, la pasta de tamarindo, la sal y la cúrcuma. Mezclar bien. Cocine por 15 minutos, revolviendo ocasionalmente. Servir caliente.

Chuleta de pescado

Ingredientes

2 huevos

1 cucharada de harina blanca normal

Sal al gusto

400g / 14oz John Dory, sin piel y fileteado

500ml / 16fl oz de agua

2 papas grandes, hervidas y machacadas

1½ cucharadita de garam masala

1 cebolla grande rallada

1 cucharadita de pasta de jengibre

Aceite vegetal refinado para freír

200 g / 7 oz de pan rallado

Método

- Batir los huevos con la harina y la sal. Dejar de lado.
- Cocina el pescado en agua con sal en una cacerola a fuego medio durante 15-20 minutos. Escurrir y amasar con las patatas, el garam masala, la cebolla, la pasta de jengibre y la sal hasta obtener una masa blanda.
- Dividir en 16 porciones, enrollar en bolas y aplanar ligeramente para formar chuletas.
- Calienta el aceite en el sarten. Sumerja las chuletas en el huevo batido, enrolle el pan rallado y fríalas a fuego lento hasta que se doren. Servir caliente.

Parsi Fish Sas

(Pescado cocido en salsa blanca)

Para 4 personas

Ingredientes

1 cucharada de harina de arroz

1 cucharada de azúcar

60ml / 2fl oz de vinagre de malta

2 cucharadas de aceite vegetal refinado

2 cebollas grandes, finamente rebanadas

½ cucharadita de pasta de jengibre

½ cucharadita de pasta de ajo

1 cucharadita de comino molido

Sal al gusto

250ml / 8fl oz de agua

8 filetes de lenguado de limón

2 huevos batidos

Método

- Triturar la harina de arroz con el azúcar y el vinagre hasta obtener una pasta. Dejar de lado.
- Calentar el aceite en una cacerola. Freír las cebollas a fuego lento hasta que se doren.
- Agrega la pasta de jengibre, la pasta de ajo, el comino molido, la sal, el agua y el pescado. Cocine a fuego lento durante 25 minutos, revolviendo ocasionalmente.
- Agrega la mezcla de harina y cocina por un minuto.
- Agrega suavemente los huevos. Revuelva por un minuto. Decore y sirva caliente.

Peshawari Machhi

Para 4 personas

Ingredientes

3 cucharadas de aceite vegetal refinado

1 kg / 2¼ lb de salmón, cortado en filetes

Jengibre de raíz de 2,5 cm / 1 pulgada, rallado

8 dientes de ajo machacados

2 cebollas grandes, molidas

3 tomates, blanqueados y picados

1 cucharadita de garam masala

400 g de yogur

¾ cucharadita de cúrcuma

1 cucharadita de amchoor*

Sal al gusto

Método

- Calentar el aceite. Freír el pescado a fuego lento hasta que se dore. Escurrir y reservar.
- Al mismo aceite, agregue el jengibre, el ajo y la cebolla. Freír a fuego lento durante 6 minutos. Agrega el pescado frito y todos los ingredientes restantes. Mezclar bien.

- Cocine a fuego lento durante 20 minutos y sirva caliente.

Cangrejo al curry

Para 4 personas

Ingredientes

4 cangrejos de tamaño mediano, limpios (ver <u>técnicas de cocina</u>)

Sal al gusto

1 cucharadita de cúrcuma

½ coco rallado

6 dientes de ajo

4-5 chiles rojos

1 cucharada de semillas de cilantro

1 cucharada de semillas de comino

1 cucharadita de pasta de tamarindo

3-4 chiles verdes, cortados a lo largo

1 cucharada de aceite vegetal refinado

1 cebolla grande, finamente picada

Método

- Marine los cangrejos con la sal y la cúrcuma durante 30 minutos.

- Muela todos los ingredientes restantes, excepto el aceite y la cebolla, con suficiente agua para formar una pasta suave.

- Calentar el aceite en una cacerola. Freír la pasta molida y la cebolla a fuego lento hasta que la cebolla se dore. Agrega un poco de agua. Cocine a fuego lento durante 7-8 minutos, revolviendo ocasionalmente. Agrega los cangrejos marinados. Mezcle bien y cocine a fuego lento durante 5 minutos. Servir caliente.

Pescado Mostaza

Para 4 personas

Ingredientes

8 cucharadas de aceite de mostaza

4 truchas, 250g / 9oz cada una

2 cucharaditas de comino molido

2 cucharaditas de mostaza molida

1 cucharadita de cilantro molido

½ cucharadita de cúrcuma

120ml / 4fl oz de agua

Sal al gusto

Método

- Calentar el aceite en una cacerola. Agrega el pescado y fríelo a fuego medio durante 1-2 minutos. Voltea el pescado y repite. Escurrir y reservar.
- Al mismo aceite, agregue el comino molido, la mostaza y el cilantro. Déjelos chisporrotear durante 15 segundos.
- Agrega la cúrcuma, el agua, la sal y el pescado frito. Mezcle bien y cocine a fuego lento durante 10-12 minutos. Servir caliente.

Meen Vattichathu

(Pescado rojo cocido con especias)

Para 4 personas

Ingredientes

600g / 1lb 5oz pez espada, sin piel y fileteado

½ cucharadita de cúrcuma

Sal al gusto

3 cucharadas de aceite vegetal refinado

½ cucharadita de semillas de mostaza

½ cucharadita de semillas de fenogreco

8 hojas de curry

2 cebollas grandes, finamente rebanadas

8 dientes de ajo finamente picados

5 cm / 2 pulgadas de jengibre, finamente rebanado

6 kokum*

Método

- Marine el pescado con la cúrcuma y la sal durante 2 horas.
- Calentar el aceite en una cacerola. Agrega las semillas de mostaza y fenogreco. Déjelos chisporrotear durante 15 segundos. Agrega todos los ingredientes restantes y el pescado adobado. Sofreír a fuego lento durante 15 minutos. Servir caliente.

Doi Maach

(Pescado cocido en yogur)

Para 4 personas

Ingredientes

4 truchas, sin piel y fileteadas

2 cucharadas de aceite vegetal refinado

2 hojas de laurel

1 cebolla grande, finamente picada

2 cucharaditas de azúcar

Sal al gusto

200 g / 7 oz de yogur

Para el adobo:

3 dientes

5cm / 2in trozo de canela

3 vainas de cardamomo verde

Jengibre de raíz de 5 cm / 2 pulgadas

1 cebolla grande, finamente rebanada

1 cucharadita de cúrcuma

Sal al gusto

34

Método

- Muele todos los ingredientes de la marinada juntos. Marina el pescado con esta mezcla durante 30 minutos.
- Calentar el aceite en una cacerola. Agrega las hojas de laurel y la cebolla. Freír a fuego lento durante 3 minutos. Agrega el azúcar, la sal y el pescado adobado. Mezclar bien.
- Saltea por 10 minutos. Agrega el yogur y cocina por 8 minutos. Servir caliente.

Pescado frito

Ingredientes

6 cucharadas de besan*

2 cucharaditas de garam masala

1 cucharadita de amchoor*

1 cucharadita de semillas de ajowan

1 cucharadita de pasta de jengibre

1 cucharadita de pasta de ajo

Sal al gusto

675g / 1½ lb de cola de rape, sin piel y fileteada

Aceite vegetal refinado para freír

Método

- Mezclar todos los ingredientes, excepto el pescado y el aceite, con suficiente agua para formar una masa espesa. Marina el pescado con esta masa durante 4 horas.

- Calentar el aceite en una sartén. Agrega el pescado y sofríe a fuego medio durante 4-5 minutos. Voltear y freír de nuevo durante 2-3 minutos. Servir caliente.

Machher Chop

Para 4 personas

Ingredientes

500 g / 1 lb 2 oz de salmón, sin piel y fileteado

Sal al gusto

500ml / 16fl oz de agua

250 g de papas, hervidas y machacadas

200ml / 7fl oz aceite de mostaza

2 cebollas grandes, finamente picadas

½ cucharadita de pasta de jengibre

½ cucharadita de pasta de ajo

1½ cucharadita de garam masala

1 huevo batido

200 g / 7 oz de pan rallado

Aceite vegetal refinado para freír

Método

- Coloca el pescado con la sal y el agua en una cacerola. Cocine a fuego medio durante 15 minutos. Escurrir y triturar con las patatas. Dejar de lado.
- Calentar el aceite en una sartén. Agrega las cebollas y sofríe a fuego medio hasta que se doren. Agrega la

mezcla de pescado y todos los ingredientes restantes, excepto el huevo y el pan rallado. Mezclar bien y cocinar a fuego lento durante 10 minutos.

- Dejar enfriar y dividir en bolitas del tamaño de un limón. Aplanar y dar forma a chuletas.
- Calentar el aceite para freír en una sartén. Sumerja las chuletas en el huevo, enrolle el pan rallado y fríalas a fuego medio hasta que estén doradas. Servir caliente.

Pez espada de goa

(Pez espada cocido al estilo de Goa)

Para 4 personas

Ingredientes

50g / 1¾oz de coco fresco rallado

1 cucharadita de semillas de cilantro

1 cucharadita de semillas de comino

1 cucharadita de semillas de amapola

4 dientes de ajo

1 cucharada de pasta de tamarindo

250ml / 8fl oz de agua

Aceite vegetal refinado para freír

1 cebolla grande, finamente picada

1 cucharada de kokum*

Sal al gusto

½ cucharadita de cúrcuma

4 filetes de pez espada

Método

- Muele el coco, las semillas de cilantro, las semillas de comino, las semillas de amapola, el ajo y la pasta de tamarindo con suficiente agua para formar una pasta suave. Dejar de lado.
- Calentar el aceite en una cacerola. Agrega la cebolla y sofríe a fuego medio hasta que se dore.
- Agrega la pasta molida y sofríe durante 2 minutos. Agrega los ingredientes restantes. Mezcle bien y cocine a fuego lento durante 15 minutos. Servir caliente.

Pescado seco Masala

Para 4 personas

Ingredientes

6 filetes de salmón

¼ de coco fresco rallado

7 chiles rojos

1 cucharada de cúrcuma

Sal al gusto

Método

- Asa los filetes de pescado durante 20 minutos. Dejar de lado.
- Muele los ingredientes restantes para formar una pasta suave.
- Mezclar con el pescado. Cuece la mezcla en una cacerola a fuego lento durante 15 minutos. Servir caliente.

Curry de gambas madras

Para 4 personas

Ingredientes

3 cucharadas de aceite vegetal refinado

3 cebollas grandes, finamente picadas

12 dientes de ajo picados

3 tomates, blanqueados y picados

½ cucharadita de cúrcuma

Sal al gusto

1 cucharadita de chile en polvo

2 cucharadas de pasta de tamarindo

750g / 1lb 10oz langostinos medianos, pelados y desvenados

4 cucharadas de leche de coco

Método

- Calentar el aceite en una cacerola. Agrega la cebolla y el ajo y sofríe a fuego medio por un minuto. Agrega los tomates, la cúrcuma, la sal, la guindilla en polvo, la pasta de tamarindo y las gambas. Mezclar bien y freír durante 7-8 minutos.

- Agrega la leche de coco. Cocine a fuego lento durante 10 minutos y sirva caliente.

Pescado en Fenogreco

Para 4 personas

Ingredientes

8 cucharadas de aceite vegetal refinado

500 g / 1 lb 2 oz de salmón, fileteado

1 cucharada de pasta de ajo

75 g / 2½ oz de hojas frescas de fenogreco, finamente picadas

4 tomates, finamente picados

2 cucharaditas de cilantro molido

1 cucharadita de comino molido

1 cucharadita de jugo de limón

Sal al gusto

1 cucharadita de cúrcuma

75 g / 2½ oz de agua caliente

Método

- Caliente 4 cucharadas de aceite en una sartén. Agrega el pescado y sofríe a fuego medio hasta que se doren por ambos lados. Escurrir y reservar.

- Caliente 4 cucharadas de aceite en una cacerola. Agrega la pasta de ajo. Freír a fuego lento durante un minuto. Agrega los ingredientes restantes, excepto el agua. Sofreír durante 4-5 minutos.

- Agrega el agua y el pescado frito. Mezclar bien. Cubra con una tapa y cocine a fuego lento durante 10-15 minutos, revolviendo ocasionalmente. Servir caliente.

Karimeen Porichathu

(Filete de Pescado en Masala)

Para 4 personas

Ingredientes

1 cucharadita de chile en polvo

1 cucharada de cilantro molido

1 cucharadita de cúrcuma

1 cucharadita de pasta de jengibre

2 chiles verdes finamente picados

Jugo de 1 limón

8 hojas de curry

Sal al gusto

8 filetes de salmón

Aceite vegetal refinado para freír

Método

- Mezclar todos los ingredientes, excepto el pescado y el aceite.
- Marina el pescado con esta mezcla y refrigera por 2 horas.
- Calentar el aceite en una sartén. Agrega los trozos de pescado y fríelos a fuego medio hasta que se doren.
- Servir caliente.

Langostinos gigantes

Para 4 personas

Ingredientes

500 g / 1 lb 2 oz de langostinos grandes, sin cáscara y desvenados

1 cucharadita de cúrcuma

½ cucharadita de chile en polvo

Sal al gusto

3 cucharadas de aceite vegetal refinado

1 cebolla grande, finamente picada

Jengibre de raíz de 1 cm / ½ pulgada, finamente picado

10 dientes de ajo finamente picados

2-3 chiles verdes, cortados a lo largo

½ cucharadita de azúcar

250ml / 8fl oz de leche de coco

1 cucharada de hojas de cilantro finamente picadas

Método

- Marinar las gambas con la cúrcuma, la guindilla en polvo y la sal durante 1 hora.
- Calentar el aceite en una cacerola. Agrega la cebolla, el jengibre, el ajo y las guindillas verdes y sofríe a fuego medio durante 2-3 minutos.
- Agrega el azúcar, la sal y las gambas marinadas. Mezclar bien y sofreír durante 10 minutos. Agrega la leche de coco. Cocine a fuego lento durante 15 minutos.
- Adorne con las hojas de cilantro y sirva caliente.

Pescado en vinagre

Para 4 personas

Ingredientes

Aceite vegetal refinado para freír

1 kg / 2¼ lb de pez espada, sin piel y fileteado

1 cucharadita de cúrcuma

12 chiles rojos secos

1 cucharada de semillas de comino

Jengibre de raíz de 5 cm / 2 pulgadas

15 dientes de ajo

250ml / 8fl oz de vinagre de malta

Sal al gusto

Método

- Calentar el aceite en una sartén. Agrega el pescado y sofríe a fuego medio durante 2-3 minutos. Dar la vuelta y freír durante 1-2 minutos. Dejar de lado.

- Muele los ingredientes restantes juntos para formar una pasta suave.

- Cocine la pasta en una sartén a fuego lento durante 10 minutos. Agregue el pescado, cocine durante 3-4 minutos, luego enfríe y guárdelo en un frasco, refrigerado, hasta por 1 semana.

Bola de pescado al curry

Para 4 personas

Ingredientes

500 g / 1 lb 2 oz de salmón, sin piel y fileteado

Sal al gusto

750ml / 1¼ pintas de agua

1 cebolla grande

3 cucharaditas de garam masala

½ cucharadita de cúrcuma

3 cucharadas de aceite vegetal refinado más extra para freír

Jengibre de raíz de 5 cm / 2 pulgadas, rallado

5 dientes de ajo machacados

250 g / 9 oz de tomates, escaldados y cortados en cubitos

2 cucharadas de yogur batido

Método

- Cocine el pescado con un poco de sal y 500ml / 16fl oz de agua a fuego medio durante 20 minutos. Escurrir y triturar con la cebolla, la sal, 1 cucharadita de garam masala y la cúrcuma hasta obtener una mezcla suave. Dividir en 12 bolas.

- Calentar el aceite para freír. Agrega las bolas y sofríe a fuego medio hasta que se doren. Escurrir y reservar.

- Caliente 3 cucharadas de aceite en una cacerola. Agrega todos los ingredientes restantes, el agua restante y las bolas de pescado. Cocine a fuego lento durante 10 minutos y sirva caliente.

Pescado Amritsari

(Pescado picante picante)

Para 4 personas

Ingredientes

200 g / 7 oz de yogur

½ cucharadita de pasta de jengibre

½ cucharadita de pasta de ajo

Jugo de 1 limón

½ cucharadita de garam masala

Sal al gusto

675g / 1½ lb de cola de rape, sin piel y fileteada

Método

- Mezclar todos los ingredientes, excepto el pescado. Marine el pescado con esta mezcla durante 1 hora.
- Asa el pescado marinado durante 7-8 minutos. Servir caliente.

Langostinos Fritos Masala

Para 4 personas

Ingredientes

4 dientes de ajo

5 cm / 2 pulgadas de jengibre

2 cucharadas de coco fresco rallado

2 chiles rojos secos

1 cucharada de semillas de cilantro

1 cucharadita de cúrcuma

Sal al gusto

120ml / 4fl oz de agua

750g / 1lb 10oz de langostinos, pelados y desvenados

3 cucharadas de aceite vegetal refinado

3 cebollas grandes, finamente picadas

2 tomates, finamente picados

2 cucharadas de hojas de cilantro picadas

1 cucharadita de garam masala

Método

- Muele el ajo, el jengibre, el coco, los chiles rojos, las semillas de cilantro, la cúrcuma y la sal con suficiente agua para formar una pasta suave.

- Marinar las gambas con esta pasta durante una hora.

- Calentar el aceite en una cacerola. Agrega las cebollas y sofríelas a fuego medio hasta que estén transparentes.

- Agrega los tomates y las gambas marinadas. Mezclar bien. Agregue el agua, cubra con una tapa y cocine a fuego lento durante 20 minutos.

- Adorne con las hojas de cilantro y garam masala. Servir caliente.

Pescado salado cubierto

Para 4 personas

Ingredientes

2 cucharadas de jugo de limón

Sal al gusto

Pimienta negra molida al gusto

4 filetes de pez espada

2 cucharadas de mantequilla

1 cebolla grande, finamente picada

1 pimiento verde, sin corazón y picado

3 tomates, sin piel y picados

50g / 1¾oz de pan rallado

85 g / 3 oz de queso cheddar rallado

Método

- Espolvoree el jugo de limón, la sal y la pimienta sobre el pescado. Dejar de lado.

- Calentar la mantequilla en una cacerola. Agrega la cebolla y el pimiento verde. Freír a fuego medio durante 2-3 minutos. Agrega los tomates, el pan rallado y el queso. Freír durante 4-5 minutos.

- Extienda esta mezcla uniformemente sobre el pescado. Envuelva en papel de aluminio y hornee en un horno a 200 ° C (400 ° F, Gas Mark 6) durante 30 minutos. Servir caliente.

Pasanda de gambas

(Langostino cocido con yogur y vinagre)

Para 4 personas

Ingredientes

250g / 9oz de langostinos, pelados y desvenados

Sal al gusto

1 cucharadita de pimienta negra molida

2 cucharaditas de vinagre de malta

2 cucharaditas de aceite vegetal refinado

1 cucharada de pasta de ajo

2 cebollas grandes, finamente picadas

2 tomates, finamente picados

2 cebolletas, finamente picadas

1 cucharadita de garam masala

250ml / 8fl oz de agua

4 cucharadas de yogur griego

Método

- Marinar las gambas con sal, pimienta y vinagre durante 30 minutos.
- Asa las gambas durante 5 minutos. Dejar de lado.
- Calentar el aceite en una cacerola. Agrega la pasta de ajo y la cebolla. Freír a fuego medio durante un minuto. Agregue los tomates, las cebolletas y el garam masala. Saltee durante 4 minutos. Agrega las gambas a la plancha y el agua. Cocine a fuego lento durante 15 minutos. Agrega el yogur. Revuelva por 5 minutos. Servir caliente.

Pez espada Rechaido

(Pez espada cocido en salsa de Goa)

Para 4 personas

Ingredientes

4 chiles rojos

6 dientes de ajo

2,5 cm / 1 pulgada de raíz de jengibre

½ cucharadita de cúrcuma

1 cebolla grande

1 cucharadita de pasta de tamarindo

1 cucharadita de semillas de comino

1 cucharada de azúcar

Sal al gusto

120ml / 4fl oz de vinagre de malta

1 kg / 2¼ lb de pez espada, limpio

Aceite vegetal refinado para freír

Método

- Triturar todos los ingredientes, excepto el pescado y el aceite.

- Hacer cortes en el pez espada y marinar con la mezcla molida, rellenando grandes cantidades de la mezcla en los cortes. Dejar reposar por 1 hora.

- Calentar el aceite en una sartén. Agrega el pescado marinado y sofríe a fuego lento durante 2-3 minutos. Voltea y repite. Servir caliente.

Teekha Jhinga

(Langostinos calientes)

Para 4 personas

Ingredientes

4 cucharadas de aceite vegetal refinado

1 cucharadita de semillas de hinojo

2 cebollas grandes, finamente picadas

2 cucharaditas de pasta de jengibre

2 cucharaditas de pasta de ajo

Sal al gusto

½ cucharadita de cúrcuma

3 cucharadas de garam masala

25 g / escaso 1 oz de coco desecado

60ml / 2fl oz de agua

1 cucharada de jugo de limón

500 g / 1 lb 2 oz de langostinos, sin cáscara y desvenados

Método

- Calentar el aceite en una cacerola. Agrega las semillas de hinojo. Déjelos chisporrotear durante 15 segundos. Agrega las cebollas, la pasta de jengibre y la pasta de ajo. Freír a fuego medio durante un minuto.
- Agrega el resto de ingredientes, excepto las gambas. Saltee durante 7 minutos.
- Agregue las gambas y cocine durante 15 minutos, revolviendo con frecuencia. Servir caliente.

Langostinos Balchow

(Langostinos cocinados al estilo de Goa)

Para 4 personas

Ingredientes

750g / 1lb 10oz de langostinos, pelados y desvenados

250ml / 8fl oz de vinagre de malta

8 dientes de ajo

2 cebollas grandes, finamente picadas

1 cucharada de comino molido

¼ de cucharadita de cúrcuma

Sal al gusto

120ml / 4fl oz de aceite vegetal refinado

50g / 1¾oz de hojas de cilantro, picadas

Método

- Marina las gambas con 4 cucharadas de vinagre durante 2 horas.
- Muela el vinagre restante con el ajo, la cebolla, el comino molido, la cúrcuma y la sal para formar una pasta suave. Dejar de lado.
- Calentar el aceite en una cacerola. Sofreír las gambas a fuego lento durante 12 minutos.

- Agrega la pasta. Mezclar bien y sofreír a fuego lento durante 15 minutos.
- Adorna con las hojas de cilantro. Servir caliente.

Langostinos Bhujna

(Gambas Secas en Coco y Cebolla)

Para 4 personas

Ingredientes

50g / 1¾oz de coco fresco rallado

2 cebollas grandes

6 chiles rojos

Jengibre de raíz de 5 cm / 2 pulgadas, rallado

1 cucharadita de pasta de ajo

4 cucharadas de aceite vegetal refinado

5 kokum seco*

¼ de cucharadita de cúrcuma

750g / 1lb 10oz de langostinos, pelados y desvenados

250ml / 8fl oz de agua

Sal al gusto

Método

- Muele el coco, la cebolla, los chiles rojos, el jengibre y la pasta de ajo.
- Calentar el aceite en una cacerola. Agrega la pasta con el kokum y la cúrcuma. Freír a fuego lento durante 5 minutos.
- Agrega las gambas, el agua y la sal. Cocine a fuego lento durante 20 minutos, revolviendo con frecuencia. Servir caliente.

Chingdi Macher Malai

(Langostinos en Coco)

Para 4 personas

Ingredientes

2 cebollas grandes, ralladas

2 cucharadas de pasta de jengibre

100 g / 3½ oz de coco fresco rallado

4 cucharadas de aceite vegetal refinado

500 g / 1 lb 2 oz de langostinos, sin cáscara y desvenados

1 cucharadita de cúrcuma

1 cucharadita de comino molido

4 tomates, finamente picados

1 cucharadita de azucar

1 cucharadita de ghee

2 dientes

2,5 cm / 1 pulgada de canela

2 vainas de cardamomo verde

3 hojas de laurel

Sal al gusto

4 papas grandes, cortadas en cubitos y fritas

250ml / 8fl oz de agua

Método

- Muele las cebollas, la pasta de jengibre y el coco hasta obtener una pasta suave. Dejar de lado.
- Calentar el aceite en una sartén. Agrega las gambas y sofríelas a fuego medio durante 5 minutos. Escurrir y reservar.
- Al mismo aceite, agregue la pasta molida y todos los ingredientes restantes, excepto el agua. Sofreír durante 6-7 minutos. Agrega las gambas fritas y el agua. Mezcle bien y cocine a fuego lento durante 10 minutos. Servir caliente.

Pescado Sorse Bata

(Pescado en Pasta de Mostaza)

Para 4 personas

Ingredientes

4 cucharadas de semillas de mostaza

7 chiles verdes

2 cucharadas de agua

½ cucharadita de cúrcuma

5 cucharadas de aceite de mostaza

Sal al gusto

1 kg de lenguado de limón, sin piel y fileteado

Método

- Triturar todos los ingredientes, excepto el pescado, con suficiente agua para formar una pasta suave. Marine el pescado con esta mezcla durante 1 hora.
- Cocine al vapor durante 25 minutos. Servir caliente.

Estofado de pescado

Ingredientes

1 cucharada de aceite vegetal refinado

2 dientes

2,5 cm / 1 pulgada de canela

3 hojas de laurel

5 granos de pimienta negra

1 cucharadita de pasta de ajo

1 cucharadita de pasta de jengibre

2 cebollas grandes, finamente picadas

400 g / 14 oz de verduras mixtas congeladas

Sal al gusto

250ml / 8fl oz de agua tibia

500g / 1lb 2 oz filetes de rape

1 cucharada de harina blanca normal, disuelta en 60 ml de leche

Método

- Calentar el aceite en una cacerola. Agregue los clavos, la canela, las hojas de laurel y los granos de pimienta. Déjelos chisporrotear durante 15 segundos. Agrega la pasta de ajo, la pasta de jengibre y la cebolla. Freír a fuego medio durante 2-3 minutos.

- Agrega las verduras, la sal y el agua. Mezcle bien y cocine a fuego lento durante 10 minutos.

- Agrega con cuidado el pescado y la mezcla de harina. Mezclar bien. Cocine a fuego medio durante 10 minutos. Servir caliente.

Jhinga Nissa

(Langostinos con yogur)

Para 4 personas

Ingredientes

1 cucharada de jugo de limón

1 cucharadita de pasta de jengibre

1 cucharadita de pasta de ajo

1 cucharadita de semillas de sésamo

200 g / 7 oz de yogur

2 chiles verdes finamente picados

½ cucharadita de hojas secas de fenogreco

½ cucharadita de clavo molido

½ cucharadita de canela molida

½ cucharadita de pimienta negra molida

Sal al gusto

12 langostinos grandes, pelados y desvenados

Método

- Mezclar todos los ingredientes, excepto las gambas. Marina las gambas con esta mezcla durante una hora.
- Colocar las gambas marinadas en brochetas y asar durante 15 minutos. Servir caliente.

Calamar Vindaloo

(Calamares cocidos en salsa picante de Goa)

Para 4 personas

Ingredientes

8 cucharadas de vinagre de malta

8 chiles rojos

Jengibre de raíz de 3,5 cm / 1½ pulgadas

20 dientes de ajo

1 cucharadita de semillas de mostaza

1 cucharadita de semillas de comino

1 cucharadita de cúrcuma

Sal al gusto

6 cucharadas de aceite vegetal refinado

3 cebollas grandes, finamente picadas

500 g / 1 lb 2 oz de calamares, en rodajas

Método

- Muela la mitad del vinagre con los chiles rojos, el jengibre, el ajo, las semillas de mostaza, las semillas de comino, la cúrcuma y la sal hasta obtener una pasta suave. Dejar de lado.

- Calentar el aceite en una cacerola. Freír las cebollas a fuego lento hasta que se doren.

- Agrega la pasta molida. Mezclar bien y saltear durante 5-6 minutos.

- Agrega los calamares y el vinagre restante. Cocine a fuego lento durante 15-20 minutos, revolviendo ocasionalmente. Servir caliente.

Langosta Balchow

(Langostas picantes cocinadas en curry de Goa)

Para 4 personas

Ingredientes

400g / 14oz de carne de langosta, picada

Sal al gusto

½ cucharadita de cúrcuma

60ml / 2fl oz de vinagre de malta

1 cucharadita de azucar

120ml / 4fl oz de aceite vegetal refinado

2 cebollas grandes, finamente picadas

12 dientes de ajo finamente picados

1 cucharadita de garam masala

1 cucharada de hojas de cilantro picadas

Método

- Marina la langosta con la sal, la cúrcuma, el vinagre y el azúcar durante 1 hora.

- Calentar el aceite en una cacerola. Agrega las cebollas y el ajo. Freír a fuego lento durante 2-3 minutos. Agrega la langosta marinada y el garam masala. Cocine a fuego lento durante 15 minutos, revolviendo de vez en cuando.

- Adorna con las hojas de cilantro. Servir caliente.

Langostinos con Berenjena

Para 4 personas

Ingredientes

4 cucharadas de aceite vegetal refinado

6 granos de pimienta negra

3 chiles verdes

4 dientes

6 dientes de ajo

Jengibre de raíz de 1 cm / ½ pulgada

2 cucharadas de hojas de cilantro picadas

1½ cucharada de coco desecado

2 cebollas grandes, finamente picadas

500 g / 1 lb 2 oz de berenjenas, picadas

250g / 9oz de langostinos, pelados y desvenados

½ cucharadita de cúrcuma

1 cucharadita de pasta de tamarindo

Sal al gusto

10 anacardos

120ml / 4fl oz de agua

Método

- Calentar 1 cucharada de aceite en una cacerola. Agregue los granos de pimienta, los chiles verdes, los dientes, el ajo, el jengibre, las hojas de cilantro y el coco a fuego medio durante 2-3 minutos. Muele la mezcla hasta obtener una pasta suave. Dejar de lado.

- Calentar el aceite restante en una cacerola. Agrega las cebollas y sofríe a fuego medio por un minuto. Agrega las berenjenas, las gambas y la cúrcuma. Sofreír durante 5 minutos.

- Agrega la pasta molida y todos los ingredientes restantes. Mezcle bien y cocine a fuego lento durante 10-15 minutos. Servir caliente.

Gambas Verdes

Para 4 personas

Ingredientes

Jugo de 1 limón

50g / 1¾oz de hojas de menta

50g / 1¾oz de hojas de cilantro

4 chiles verdes

2,5 cm / 1 pulgada de raíz de jengibre

8 dientes de ajo

Una pizca de garam masala

Sal al gusto

20 langostinos medianos, pelados y desvenados

Método

- Triturar todos los ingredientes, excepto las gambas, hasta obtener una pasta homogénea. Marina las gambas con esta mezcla durante 1 hora.
- Pinche las gambas. Ase durante 10 minutos, volteando ocasionalmente. Servir caliente.

Pescado con Cilantro

Para 4 personas

Ingredientes

3 cucharadas de aceite vegetal refinado

1 cebolla grande, finamente picada

4 chiles verdes finamente picados

1 cucharada de pasta de jengibre

1 cucharada de pasta de ajo

1 cucharadita de cúrcuma

Sal al gusto

100 g / 3½ oz de hojas de cilantro, picadas

1 kg de salmón, sin piel y fileteado

250ml / 8fl oz de agua

Método

- Calentar el aceite en una cacerola. Sofreír la cebolla a fuego lento hasta que se dore.
- Agregue todos los ingredientes restantes, excepto el pescado y el agua. Freír durante 3-4 minutos. Agrega el pescado y sofríe durante 3-4 minutos.
- Agrega el agua. Mezcle bien y cocine a fuego lento durante 10-12 minutos. Servir caliente.

Pescado Malai

(Pescado cocido en salsa cremosa)

Para 4 personas

Ingredientes

250ml / 8fl oz de aceite vegetal refinado

1 kg de filetes de lubina

1 cucharada de harina blanca normal

1 cebolla grande rallada

½ cucharadita de cúrcuma

250ml / 8fl oz de leche de coco

Sal al gusto

Para la mezcla de especias:

1 cucharadita de semillas de cilantro

1 cucharadita de semillas de comino

4 chiles verdes

6 dientes de ajo

6 cucharadas de agua

Método

- Muele los ingredientes de la mezcla de especias juntos. Exprime la mezcla para extraer su jugo en un tazón pequeño. Deja el jugo a un lado. Desecha la cáscara.

- Calentar el aceite en una sartén. Rebozar el pescado con la harina y sofreír a fuego medio hasta que se doren. Escurrir y reservar.

- Al mismo aceite, agregue la cebolla y fría a fuego medio hasta que se dore.

- Agregue el jugo de la mezcla de especias y todos los ingredientes restantes. Mezclar bien.

- Cocine a fuego lento durante 10 minutos. Agrega el pescado y cocina por 5 minutos. Servir caliente.

Curry de pescado Konkani

Para 4 personas

Ingredientes

1 kg de salmón, sin piel y fileteado

Sal al gusto

1 cucharadita de cúrcuma

1 cucharadita de chile en polvo

2 cucharadas de aceite vegetal refinado

1 cebolla grande, finamente picada

½ cucharadita de pasta de jengibre

750ml / 1¼ pintas de leche de coco

3 chiles verdes, cortados a lo largo

Método

- Marine el pescado con la sal, la cúrcuma y la guindilla en polvo durante 30 minutos.
- Calentar el aceite en una cacerola. Agrega la cebolla y la pasta de jengibre. Freír a fuego medio hasta que las cebollas se vuelvan traslúcidas.
- Agrega la leche de coco, las guindillas verdes y el pescado adobado. Mezclar bien. Cocine a fuego lento durante 15 minutos. Servir caliente.

Langostinos picantes al ajillo

Para 4 personas

Ingredientes

4 cucharadas de aceite vegetal refinado

2 cebollas grandes, finamente picadas

1 cucharada de pasta de ajo

12 dientes de ajo picados

1 cucharadita de chile en polvo

1 cucharadita de cilantro molido

½ cucharadita de comino molido

2 tomates, finamente picados

Sal al gusto

1 cucharadita de cúrcuma

750g / 1lb 10oz de langostinos, pelados y desvenados

250ml / 8fl oz de agua

Método

- Calentar el aceite en una cacerola. Agrega la cebolla, la pasta de ajo y el ajo picado. Freír a fuego medio hasta que las cebollas se vuelvan traslúcidas.

- Agrega el resto de ingredientes, excepto las gambas y el agua. Freír durante 3-4 minutos. Agrega las gambas y sofríe durante 3-4 minutos.

- Agrega el agua. Mezcle bien y cocine a fuego lento durante 12-15 minutos. Servir caliente.

Curry de pescado simple

Para 4 personas

Ingredientes

2 cebollas grandes, en cuartos

3 dientes

2,5 cm / 1 pulgada de canela

4 granos de pimienta negra

2 cucharaditas de semillas de cilantro

1 cucharadita de semillas de comino

1 tomate, cortado en cuartos

Sal al gusto

2 cucharadas de aceite vegetal refinado

750 g / 1 lb 10 oz de salmón, sin piel y fileteado

250ml / 8fl oz de agua

Método

- Triturar todos los ingredientes, excepto el aceite, el pescado y el agua. Calentar el aceite en una cacerola. Agrega la pasta y sofríe a fuego lento durante 7 minutos.

- Agrega el pescado y el agua. Cocine durante 25 minutos, revolviendo con frecuencia. Servir caliente.

Curry de pescado de Goa

Para 4 personas

Ingredientes

100 g / 3½ oz de coco fresco rallado

4 chiles rojos secos

1 cucharadita de semillas de comino

1 cucharadita de semillas de cilantro

360ml / 12fl oz de agua

3 cucharadas de aceite vegetal refinado

1 cebolla grande rallada

1 cucharadita de cúrcuma

8 hojas de curry

2 tomates, blanqueados y picados

2 chiles verdes, cortados a lo largo

1 cucharada de pasta de tamarindo

Sal al gusto

1 kg / 2¼ lb de salmón, en rodajas

Método

- Muele el coco, los chiles rojos, las semillas de comino y las semillas de cilantro con 4 cucharadas de agua hasta obtener una pasta espesa. Dejar de lado.

- Calentar el aceite en una cacerola. Freír la cebolla a fuego lento hasta que esté transparente.

- Agrega la pasta de coco. Freír durante 3-4 minutos.

- Agregue todos los ingredientes restantes, excepto el pescado y el agua restante. Saltee durante 6-7 minutos. Agrega el pescado y el agua. Mezcle bien y cocine a fuego lento durante 20 minutos, revolviendo ocasionalmente. Servir caliente.

Vindaloo de gambas

(Langostinos cocidos en curry picante de Goan)

Para 4 personas

Ingredientes

3 cucharadas de aceite vegetal refinado

1 cebolla grande rallada

4 tomates, finamente picados

1½ cucharadita de chile en polvo

½ cucharadita de cúrcuma

2 cucharaditas de comino molido

750g / 1lb 10oz de langostinos, pelados y desvenados

3 cucharadas de vinagre blanco

1 cucharadita de azucar

Sal al gusto

Método

- Calentar el aceite en una cacerola. Agrega la cebolla y sofríe a fuego medio durante 1-2 minutos. Agrega los tomates, la guindilla en polvo, la cúrcuma y el comino. Mezcle bien y cocine durante 6-7 minutos, revolviendo ocasionalmente.

- Agrega las gambas y mezcla bien. Cocine a fuego lento durante 10 minutos.

- Agrega el vinagre, el azúcar y la sal. Cocine a fuego lento durante 5-7 minutos. Servir caliente.

Pescado en Masala Verde

Para 4 personas

Ingredientes

750g / 1lb 10 oz de pez espada, sin piel y fileteado

Sal al gusto

1 cucharadita de cúrcuma

50g / 1¾oz de hojas de menta

100 g / 3½ oz de hojas de cilantro

12 dientes de ajo

Jengibre de raíz de 5 cm / 2 pulgadas

2 cebollas grandes, en rodajas

5 cm / 2 pulgadas de canela

1 cucharada de semillas de amapola

3 dientes

500ml / 16fl oz de agua

3 cucharadas de aceite vegetal refinado

Método

- Marina el pescado con la sal y la cúrcuma durante 30 minutos.

- Muele los ingredientes restantes, excepto el aceite, con suficiente agua para formar una pasta espesa.

- Calentar el aceite en una cacerola. Agrega la pasta y fríe a fuego medio durante 4-5 minutos. Agrega el pescado marinado y el agua restante. Mezcle bien y cocine a fuego lento durante 20 minutos, revolviendo ocasionalmente. Servir caliente.

Almejas Masala

Ingredientes

500g / 1lb 2oz de almejas, limpias (ver <u>técnicas de cocina</u>)

Sal al gusto

¾ cucharadita de cúrcuma

1 cucharada de semillas de cilantro

3 dientes

2,5 cm / 1 pulgada de canela

4 granos de pimienta negra

2,5 cm / 1 pulgada de raíz de jengibre

8 dientes de ajo

60 g / 2 oz de coco fresco rallado

2 cucharadas de aceite vegetal refinado

1 cebolla grande, finamente picada

500ml / 16fl oz de agua

Método

- Steam (ver <u>técnicas de cocina</u>) las almejas en una olla a vapor durante 20 minutos. Espolvorea sal y cúrcuma encima. Dejar de lado.

- Muele el resto de los ingredientes, excepto el aceite, la cebolla y el agua.

- Calentar el aceite en una cacerola. Agrega la pasta molida y la cebolla. Freír a fuego medio durante 4-5 minutos. Agrega las almejas al vapor y sofríe durante 5 minutos. Agrega el agua. Cocine por 10 minutos y sirva caliente.

Pez tikka

Ingredientes

2 cucharaditas de pasta de jengibre

2 cucharaditas de pasta de ajo

1 cucharadita de garam masala

1 cucharadita de chile en polvo

2 cucharaditas de comino molido

2 cucharadas de jugo de limón

Sal al gusto

1 kg de rape, sin piel y flleteado

Aceite vegetal refinado para freír

2 huevos batidos

3 cucharadas de sémola

Método

- Mezcle la pasta de jengibre, la pasta de ajo, el garam masala, el chile en polvo, el comino, el jugo de limón y la sal. Marina el pescado con esta mezcla durante 2 horas.
- Calentar el aceite en una sartén. Sumerja el pescado marinado en el huevo, enrolle la sémola y fría a fuego medio durante 4-5 minutos.
- Dar la vuelta y freír durante 2-3 minutos. Escurrir sobre papel absorbente y servir caliente.

Berenjena Rellena De Gambas

Ingredientes

4 cucharadas de aceite vegetal refinado

1 cebolla grande, finamente rallada

2 cucharaditas de pasta de jengibre

2 cucharaditas de pasta de ajo

1 cucharadita de cúrcuma

½ cucharadita de garam masala

Sal al gusto

1 cucharadita de pasta de tamarindo

180g / 6½ oz de langostinos, pelados y desvenados

60ml / 2fl oz de agua

8 berenjenas pequeñas

10g / ¼oz de hojas de cilantro, picadas, para decorar

Método

- Para el relleno, calienta la mitad del aceite en una cacerola. Agrega la cebolla y sofríe a fuego lento hasta que se dore. Agrega la pasta de jengibre, la pasta de ajo, la cúrcuma y el garam masala. Saltee durante 2-3 minutos.

- Agrega la sal, la pasta de tamarindo, las gambas y el agua. Mezcle bien y cocine a fuego lento durante 15 minutos. Dejar enfriar.

- Con un cuchillo, haz una cruz en un extremo de una berenjena. Corta más profundamente a lo largo de la cruz, dejando el otro extremo sin cortar. Rellena esta cavidad con la mezcla de gambas. Repita para todas las berenjenas.

- Calentar el aceite restante en una sartén. Agrega las berenjenas rellenas. Freír a fuego lento durante 12-15 minutos, volteando de vez en cuando. Decore y sirva caliente.

Langostinos con Ajo y Canela

Para 4 personas

Ingredientes

250ml / 8fl oz de aceite vegetal refinado

1 cucharadita de cúrcuma

2 cucharaditas de pasta de ajo

Sal al gusto

500 g / 1 lb 2 oz de langostinos, sin cáscara y desvenados

2 cucharaditas de canela en polvo

Método

- Calentar el aceite en una cacerola. Agrega la cúrcuma, la pasta de ajo y la sal. Freír a fuego medio durante 2 minutos. Agrega las gambas y cocina por 15 minutos.
- Agrega la canela. Cocine por 2 minutos y sirva caliente.

Lenguado al vapor en mostaza

Para 4 personas

Ingredientes

1 cucharadita de pasta de jengibre

1 cucharadita de pasta de ajo

¼ de cucharadita de pasta de chile rojo

2 cucharaditas de mostaza inglesa

2 cucharaditas de jugo de limón

1 cucharadita de aceite de mostaza

Sal al gusto

1 kg de lenguado de limón, sin piel y fileteado

25g / escasa 1 oz de hojas de cilantro, finamente picadas

Método

- Mezclar todos los ingredientes, excepto el pescado y las hojas de cilantro. Marina el pescado con esta mezcla durante 30 minutos.

- Coloque el pescado en un plato poco profundo. Steam (ver técnicas de cocina) en una vaporera durante 15 minutos. Adorne con las hojas de cilantro y sirva caliente.

Curry de pescado amarillo

Para 4 personas

Ingredientes

100ml / 3½fl oz de aceite de mostaza

1 kg de salmón, sin piel y fileteado

4 cucharaditas de mostaza inglesa

1 cucharadita de cilantro molido

1 cucharadita de chile en polvo

2 cucharaditas de pasta de ajo

125 g / 4½ oz de puré de tomate

120ml / 4fl oz de agua

Sal al gusto

1 cucharadita de cúrcuma

2 cucharadas de hojas de cilantro, finamente picadas, para decorar

Método

- Calentar el aceite en una sartén. Añadir el pescado y sofreír a fuego lento hasta que se doren. Voltea y repite. Escurrir el pescado y reservar. Reserva el aceite.
- Mezclar la mostaza con el cilantro molido, la guindilla en polvo y el ajo.

- Calentar el aceite utilizado para freír el pescado. Freír la mezcla de mostaza durante un minuto.

- Agrega el puré de tomate. Freír a fuego medio durante 4-5 minutos.

- Agrega el pescado frito, el agua, la sal y la cúrcuma. Mezcle bien y cocine a fuego lento durante 15-20 minutos, revolviendo ocasionalmente.

- Adorna con las hojas de cilantro. Servir caliente.

Cangrejo tandoori

Para 4 personas

Ingredientes

2 cucharaditas de pasta de jengibre

2 cucharaditas de pasta de ajo

2 cucharaditas de garam masala

1 cucharada de jugo de limón

125 g / 4½ oz de yogur griego

Sal al gusto

4 cangrejos, limpios

1 cucharada de aceite vegetal refinado

Método

- Mezcle todos los ingredientes excepto los cangrejos y el aceite. Marine los cangrejos con esta mezcla durante 3-4 horas.
- Unte el cangrejo marinado con aceite. Ase a la parrilla durante 10-15 minutos. Servir caliente.

Pescado Relleno

Para 4 personas

Ingredientes

2 cucharadas de aceite vegetal refinado más extra para freír

1 cebolla grande, finamente picada

1 tomate grande, finamente picado

1 cucharadita de pasta de jengibre

1 cucharadita de pasta de ajo

1 cucharadita de cilantro molido

1 cucharadita de comino molido

Sal al gusto

1 cucharadita de cúrcuma

2 cucharadas de vinagre de malta

1 kg / 2¼lb de salmón, cortado en el vientre

25g / escaso 1 oz de pan rallado

Método

- Caliente 2 cucharadas de aceite en una cacerola. Agrega la cebolla y sofríe a fuego lento hasta que se dore. Agrega el resto de ingredientes, excepto el vinagre, el pescado y el pan rallado. Saltee durante 5 minutos.
- Agrega el vinagre. Cocine a fuego lento durante 5 minutos. Rellena el pescado con la mezcla.
- Calentar el aceite restante en una sartén. Enrolle el pescado en el pan rallado y fríalo a fuego medio hasta que se dore. Voltea y repite. Servir caliente.

Curry de gambas y coliflor

Para 4 personas

Ingredientes

10 cucharadas de aceite vegetal refinado

1 cebolla grande, finamente picada

¾ cucharadita de cúrcuma

250g / 9oz de langostinos, pelados y desvenados

200 g / 7 oz de cogollos de coliflor

Sal al gusto

Para la mezcla de especias:

1 cucharada de semillas de cilantro

1 cucharada de garam masala

5 chiles rojos

2,5 cm / 1 pulgada de raíz de jengibre

8 dientes de ajo

60 g / 2 oz de coco fresco

Método

- Calentar la mitad del aceite en una sartén. Agrega los ingredientes de la mezcla de especias y fríe a fuego medio durante 5 minutos. Triturar hasta obtener una pasta espesa. Dejar de lado.

- Calentar el aceite restante en una cacerola. Freír la cebolla a fuego medio hasta que esté transparente. Agregue todos los ingredientes restantes y la pasta de especias.

- Cocine a fuego lento durante 15-20 minutos, revolviendo ocasionalmente. Servir caliente.

Almejas Salteadas

Ingredientes

500g / 1lb 2 oz de almejas, limpias

6 cucharadas de aceite vegetal refinado

2 cebollas grandes, finamente picadas

1 cucharadita de cúrcuma

1 cucharadita de garam masala

2 cucharaditas de pasta de jengibre

2 cucharaditas de pasta de ajo

10 g / ¼ oz de hojas de cilantro, picadas

6 kokums*

Sal al gusto

250ml / 8fl oz de agua

Método

- Cocine las almejas al vapor durante 25 minutos. Dejar de lado.

- Calentar el aceite en una cacerola. Freír las cebollas a fuego lento hasta que se doren.

- Agrega los ingredientes restantes, excepto el agua. Saltee durante 5-6 minutos.

- Agrega las almejas al vapor y el agua. Cubra con una tapa y cocine a fuego lento durante 10 minutos. Servir caliente.

Camarones rebozados fritos

Para 4 personas

Ingredientes

250g / 9oz de camarones, pelados

250 g / 9 oz de besan*

2 chiles verdes finamente picados

1 cucharadita de chile en polvo

1 cucharadita de cúrcuma

1 cucharadita de cilantro molido

1 cucharadita de comino molido

½ cucharadita de amchoor*

1 cebolla pequeña rallada

¼ de cucharadita de bicarbonato de sodio

Sal al gusto

Aceite vegetal refinado para freír

Método

- Mezcle todos los ingredientes, excepto el aceite, con suficiente agua para formar una masa espesa.
- Calienta el aceite en el sarten. Echar unas cucharadas de la masa en ella y freír a fuego medio hasta que estén doradas por todos lados.
- Repita para el resto de la masa. Servir caliente.

Lightning Source UK Ltd.
Milton Keynes UK
UKHW020640270521
384471UK00010B/791